JN036099

だんまり、つぶやき、語らい

鷲田清一
Washida Kiyokazu

じぶんをひらくことば

講談社

だんまり、
つぶやき、
語らい

じぶんをひらくことば

もくじ

生徒とことばを

イラストレーション　朝野ペコ
ブックデザイン　アルビレオ

だんまり、つぶやき、語らい

じぶんをひらく

ことば

最初はマスクの話から

みなさん、こんにちは。鷲田清一です。

コロナ禍で講演が成立するか危ぶまれましたが、こうしてみなさんとお会いできてとてもうれしいです。

きょうは、ことばのお話をしようと思っていました。とくにひととひとが語らうということについてお話ししようと。ですがいま、壇上からはみなさんの顔がマスクでよく見えない状況で、ちょっとテーマをまちがったかなと後悔しだしています。

じつはこういう壇上からの講演というのは、語らいにいちばん反するシチュエーションなんですね。ぼくがこれから一時間以上ひたすらしゃべって、その間みなさんが沈黙を強いられるのはコミュニケーションの形式としては最悪。

初めてのデートで向かいあって八十分間、一方がしゃべりつづけたら、もうそれで二度と回復は期待できないというか、関係は破綻するはずで、みなさんときょ

最初は
マスクの
話から

う初対面なのに、いきなり語らいを拒絶するようなシチュエーションで、語りについてのテーマを選んだのは、ちょっと失敗だったかな。それよりもきょう、みなさんのようすを見ていたら、マスクについて話したほうがよかったようにも思います。マスクなら、話すことがほんと、いっぱいある。

マスクも最近ではTシャツみたいになってきましたね。Tシャツ着るような感覚で着けて、いろんなメッセージも盛りこめる。「古典の授業つまらん！」とか書けるもんね(笑)。まぁ、そんなのは学校では禁止でしょうけど、おもしろいじゃないですか。

こちらの高等学校には「ファッション創造科」があるそうですので、そもそもマスクってなんなんだろう？　って、ちょっと考えた作品をつくってくれたらうれしいですね。いま、古典の先生に失礼なことを言ってしまいましたが（笑）、「通学めんどくさい」とかね、デザインしてもいいんじゃないかな。

あ、それよりも「じぶんってふしぎな存在」とか「じぶんがなんだかうっとうしい」とか書いてもいい。なんだか相田みつをみたいになりそう（笑）。じゃあ、『じぶん・この不思議な存在』（講談社現代新書）の表紙をプリントしてもらいましょうか（笑）。

そういうメッセージ、じぶんの主張じゃなくても、Tシャツのプリントと同じ感覚で、ファッションとして楽しめたらおもしろい。

だから、これからコロナ禍が終息しても、いろんなマスクを着けつづけたり、あるいはマスク着けなくても、真っ白とか真っ赤に顔半分塗るようなファッションがあたりまえになったりするとおもしろいなと思って、いまから楽しみにしているんですけれどもね。

なぜ顔を覆うものと、顔そのものとを同じことばで呼ぶのか

マスクって、ことばとして考えると、さらにおもしろいんです。

英語のmaskは仮面とか覆面を意味します。masqueradeといったら仮面舞踏会のことですね。ふつうの日本語でもマスクは衛生用のマスクやプロレスラーの覆面を指します。ところが英語でも日本語でも、「彼は甘いマスクをしている」といっ

たら、仮面や覆面のことじゃないですよね。甘い顔だち、スウィートな容貌をしているということになって、素顔そのものを意味する。

なぜ顔を
覆うものと、
顔そのものとを
同じことばで
呼ぶのか

どうして顔を覆うものと、顔そのものとを同じことばで呼ぶのでしょうか。

これは英語のmaskにかぎらず、日本語でもよく似たことが起こっていて、面という字を書いて「おもて」と読みますね。お能なんかだったら、「おもて」は顔に着ける仮面のことですけれども、同時に、それこそ、お殿さまが平伏している家臣に「おもてを上げい」と言ったら、「顔を上げろ」の意味になって、不思議ですね。

マスクと同じで、日本語の「おもて」も仮面と素顔の両方を意味する。あれ!?と思うけど、でもちょっと考えたらわかる。ぼくたちの表情のほとんどは、〝そういう顔をしている〟こととしてあるのに気づくでしょう。

このあいだ、友人の音楽批評家が出したファンタジーの本（小沼純一『しっぽがない』青土社）を読んでいたらね、すごくおもしろいことばがありました。それで朝日新聞の「折々のことば」でも取り上げました。

「わたし、ずっとほしいんだ、しっぽ。」というの。

犬なんかとくにそうですけれども複雑な気持ちをもっていても、やっぱりしっぽ振っているから喜んでいるなとわかったりする。顔を裏切って、なんと言うか、大げさに言うと存在のそのまんまを表現できる。

本のなかに「ぼく」の妹がぼそっと言うところがあるのね。

「しっぽは、でもさ、もっと、なんていうんだろ、もっとまんま、じゃないかな」

しっぽがあれば、相手だけじゃなく、じぶんの知らないじぶんとももっと素直に向きあえるんじゃないかと。ほんとにそうだなあ、と思いました。

人間の顔は、そのつど、なにか取りつくろっているというか、思いとはまた別に、じぶんで、そのつどそのつど状況にあわせて、相手にあわせて、あるいは気を遣って、あるいは辛抱してつくっている。〝顔をしている〟感じになる。そう考えたら素顔ってやっぱりマスクなんだなって思える。

そのあたりから解きほぐしていったら、これはずいぶん奥の深いテーマなんですよ。しゃべりだしたら止まらないくらい。

もうちょっとだけ。

傑作な例を挙げますと、これはフランスの小説で読んだんですけれど、イタリアの古い修道院だったかにトイレがある。

そのトイレにはドアがついていないんですよ。

かわりにどうしているかといえば、お面が壁にかけてある。

ふつうはドアで体を隠しますが、そのトイレは反対にするんです。お面を装着して、このひとが〝だれ〟であるかを隠す。匿名にすることで、べつにそういうシーンを見られても恥ずかしくなくするわけです。

なるほど、と思いました。マスクって単純に顔を隠すのではなくて、〝だれ〟ということを隠す装置ですから、それもありだな……なんて連想は尽きない。

ことばって面倒くさいじゃないですか

なんかヘンな弁解から始めたんですけど、やはり最初にお知らせしたタイトルどおり、ことばを、

・だんまり
・つぶやき
・語らい

の三つの段階で考えてみるというお話に入ろうと思います。

最初にひとつだけ質問させてください。

みんな、ことばって好きですか？　好きなひと、ちょっと手を挙げてくれます？

はい。ありがとう。

嫌いなひとは？

あら……。そうか、どちらでもないひとが圧倒的に多いみたいですね。

ことばが嫌いなひとがものすごく少ない。これ、ちょっと驚きです。

ぼくはですね……じつはことばが苦手、というか、嫌いな人間なんです（笑）。

それで、いまの若い世代の人って、ぼく以上に嫌いなのかなって思っていたんで、虚を衝かれました。

でも、みなさん。だれかとしゃべる、ひとと話すって、読むとか書くよりしん

ことばって
面倒くさいじゃ
ないですか

どくないですか？

しゃべりたくないときでも、黙っていると場から浮いてしまうんじゃないか。

メールが来たらすぐ返さないと、なんか悪くとられてしまうんじゃないか。もうつきあってもらえなくなるんじゃないか。

とか、いろいろありそうですね。

しゃべりたくないときには黙っている、しゃべりたくなったら口をひらくのがいちばんラクだと思うのに、なぜかいつもしゃべらないといけないような空気みたいなものがある。ぼくはそれを敏感に感じるほうです。

　ことばって面倒くさいじゃないですか。

じゃないですかって、挙手をみるかぎり、みなさんのほとんどがそう思っていないようですから、ちょっと困るところではありますが（笑）、ぼくは、ことばってすごく面倒なものだと思ってきたんです。

　というのは、たいていの場合、ことばのほうが過剰か過少であり、ピタリ、ズバリはまずない。じっさい、あんなこと言わなかったらよかったとか、もっと別な言いかたをすべきだったとか、言ったあとで後悔ばかりしている。話した時間よりもずっと長く、悔いや疚しさの意識が残ってしまう。そういう不均衡というか、アンバランス、チグハグさにきっとみんな苦しみ、悶えている。

他人にこのことをぜひ伝えたいと思ってもうまく表現できなくて、なんか言えていない。いくらことばを重ねても、言い足りない。あるいはその正反対で、そんなにいろいろ考えてなんかいないのに、相手がいるとやたら饒舌になって、思っている以上のことをまくしたててしまったり、というのもよくありますね。

それに、しゃべっているうちにだんだん作り話っぽくなっていくこともめずらしくない。とくに、じぶんについて語るときには。

記憶は脚色される

そもそもわたしたちの記憶というのがそういうものですね。

子どものときイヤなこととか、かなしいこととか、くやしいこととか、いろんなことがあって、それをひとにくりかえし話しているうちに、ちょっとずつ脚色が入っていって、気がついたときには、じぶんが悲劇の主人公になっている。

この家でこんな目に遭ったとか、こんなこと、母親はけっきょく一度もじぶんにしてくれなかったとか、じぶんが悲劇の主人公のように記憶の語りのなかで作られていく。

で、歳がいってからそう話すとお母さんから「これとこれしてあげたじゃない、ここ連れていってあげたよ」と言われて、えーっ、一度もそんなことないと思ってずっと二十年やってきた……なんてことはしょっちゅうあります。

記憶って脚色されるんですね、語りのなかで。辻褄をよりきちんと合わせるために、だんだん作り話のようなものを導入してきて、そして最後、じぶんが悲劇の主人公になる。こんなつらい幼年時代を送ったひとはいない……みたいに話ができあがっていくことはよくあるんですね。だから、記憶の語りがいちばん典型的ですけど、語るということと作るということがうまく区別できないのが、ことば、語りの本質なんですね。

日本語の「かたる」は、さっきのマスクじゃないけれども、ナレーション、つまり、「語る、語りだす」という意味と同時に、もうひとつあるでしょ？

記憶は脚色される

そう、嘘をつくという意味。ゴンベンじゃなくてウマヘンの「騙る」。たとえば、なんでしたっけ、いまよくある、年配の方に息子のフリして電話するやつ、なんちゅうんでしたかね、ええと、記憶がたどれないな（笑）。

あ、そうそう、オレオレ詐欺。

あれもかたりなんです。息子になりすましている。

ことばってすごい、よく物事を映してるなと思う。かたることは嘘をつくことであるとの洞察です。

チグハグでアヤフヤだけど……

ことばは面倒くさいし嫌いだと言いましたが、ことばというか〝語〟そのものはね、本来これ、どういう意味だったのだろう、昔はどういう意味で使われたのだろうと考えると、これはとってもおもしろいものです。いろんなヒントを与えてくれる。

それでもやはり、ことばが面倒くさいのは、さっきも言ったように、じぶんについてなにかを語るとき、いつも過剰か過少になって、語りたいじぶんとのバランスが全然うまくとれず、いつもチグハグだから。話し終えたあとにたいてい後悔が残る。そういう意味でとにかく面倒なもの。

でもね、もう一方で、ことばに救われるということもある。じぶんの表現したいものがよくわからない、あるいは、じぶんの思いが形としてアヤフヤでもてあますときに、ことばが助けてくれるっていう、逆のこともある。

「なんでじぶん、こんなに腹立つんだろう」とか、「どうしてじぶん、こんなに悲しいんだろう」とか、なんかじぶんの感情がよくつかめないときに、たとえば詩集を読んだり、あるいは小説を読んだり、あるいは思想の本を読んだりしたときに、フッとことばと出会って、あ、このことばで言うと腑に落ちる、いまのじぶんの気持ちにすごくピッタリくるといった経験。

つまり、ことばが、まだ形のないもの、アヤフヤなものをきちっと形にまとめてくれる、あるいは立体化、結晶化してくれる、そういう働きもあるんですね。

昔、ガブリエル・マルセルというフランスの哲学者が、そのことをすごくじょ

チグハグで
アヤフヤ
だけど……

うずに、おおよそ次のように語っていました。

もしことばというものをもっていなかったら、ひとはいま、じぶんがどういう感情のなかにいるか、どんな感情に浸されているかはわからなかっただろう。ことばがあるから、われわれはうれしいとか、悲しいとか、恥ずかしいとか、いろいろじぶんの気持ちを細かく切り分けていって、いま、じぶんはこういう感情の状態でいるのだと了解することができる。ことばがじぶんをより立体的なもの、より襞のあるものへと育てていってくれるというんです。

マルセルのいう意味では、ことばって先ほどの〝面倒くさいもの〟とは正反対。じぶんを支えてくれるものだなとわかる。

じっさい、みなさんも、じぶんがどうしていいかわからないとき、あるいは、じぶんがいま、はまっている状態がどういうものかわからないときに、ひとの書いた本を読んで、あ、こんなふうに考えたらいいんだ、あるいは、こういう目でじぶんを見たらいいんだと学んだこと、そして力をもらったこと、支えてもらったことっていっぱいあると思うんですね。

こんなことにずっとかかわっていると面倒くさいし、でも、ありがたいし、でも自由にならないし、と考えていくと、ほんとうにことばって思っているよりもはるかにむずかしいもの、難儀なものなんだなとの思いに打たれます。

で、いよいよ、ことばの話に入っていこうと思うのですが、まず「だんまり」からです。

「名前のない学校」で

ぼくが、みなさんの世代の「だんまり」にじかにふれたのは、もう七、八年前のことです。それ以前に高校で「出前授業」をしたときにも経験したんですが、最近だと大阪大学を辞めて、二年間ほど家で塾を開いたとき。名づけて「名前のない学校」。

そのときの入塾の条件は、一年以上の不登校経験があること。そういうひとたちをけっきょく六人か七人でしたかね、お互い初対面のひとたちですけど、週末に家に集まってもらい、みんなで、ぼくの仕事場でおしゃべりして、ときどきいっしょにごはん食べたりもしていたんです。

どうしてそういう生徒さんを集めたか……。

京都のある公立高校に講演に行ったとき、やっぱりきょうぐらいたくさんの生徒さんがおられ、そのなかにひとり、ぼくの話をよく理解してくれたうえで、さらに突っこんだ質問をしてくれた女子生徒がいた。

あー、おもしろい反応だなととてもうれしくなりました。で、話が終わって職員室に戻ると、その生徒さんのことが話題になっている。もう半年以上、学校へ来てないし、ふだん全然しゃべらない。その子が、どうして鷲田さんの講演でスッと手を挙げて立って質問したのか。びっくりしたと、先生方が口々におっしゃる。

そんなことがあったものですから、塾を開こうというとき、その高校に電話して、あの生徒さんと連絡とれませんかといって、塾生第一号としてスカウトしたんです。

あと、滋賀県の高校に行ったとき、不登校の子たちのクラスがあった。時間割も自由になっている。そのクラスを見学させてもらったときに、「あ、あの子」とつばをいくつかつけて……と言ったら失礼か、ナンパいたしまして（笑）、

「ちょっとうちの塾、来ない？」って連絡したわけです。それで六、七人集まった。

半年、いや、もっとかかって一年ぐらいかもしれない。どうやってみんなに口を開かせるか、で苦労しました。第一号の、全校生の前に立って質問してくれた生徒さんも徹底的に「だんまり」を決めこんでいる。

うーん、なんなんだろうな、求められているようなことを言うのがイヤなのかな、あるいはみんなと同じようなこと言うのがイヤなのかな、あるいはしゃべらないで、だれかといっしょにいることを恐がらないでいられるにはどうしたらいいかと悩んでいるのかなとか、いろんなことを想像しました。

あるいは、いじめに遇っていた子たちばかりだったので、かつて――あるいはいま――いじめが起こっている事態のなかで、じぶんがことばを発せられなかったことがものすごい傷になっているのかなとか、さまざま思ったんだけど、とにかくしゃべってくれないんです。

でも、来るのはイヤじゃないらしい、それだけはなんとなくわかった。そんなに話は盛り上がらないけれども、話さないでいることに安心していられる場所である点に意味があると思いました。

それで、こんどはいろいろ作戦を立てて――これ、だいじなことなので最後にも申しあげますけれども――いろんな手を打った。たとえば「じぶんのことを語ることは必要なし」としてみた。自己紹介をやめて、他己紹介を試みたんです。

六人がなじむまで、お互いのことを全然知らないですから、まずは二人ずつペアになって、一方が他方に質問しまくる。で、終わったらこんどは交替、また質問しまくる。そうやって相手から、あれこれかまわずに情報を得る。そのあとで、「自己紹介はいらないから、あのひとのこと、だれか説明してくれる？　紹介してくれる？」と水を向けてみる。すると、ひとのことだったらしゃべるもので、「あのひと、こんなことでなんかうまいこといかないと言ってました」なんて感じで、ちょっと口をひらいてくれるようになりました。

それから家が遠い子は二時間ほどかけて来てくれていたので、スマホはもっているでしょうから、「塾まで来るあいだになにか気になった風景、光景があったら写真撮ってきてね」と言いました。それを着いてからみんなに見せてもらう。

「これ、なに？」

「なぜこんなん撮ったの？」

こんな質問から話につなげるとか、いろいろ試しました。

家族インタビュー

こう言うと、すぐにパパパッといろんなことを考えだしたみたいですけれど、ほんとうはものすごくいろいろ考え考え、さまざまなことを試しました。

そして、みんながやっと口をひらいてくれるようになったときに考えだしたのがね、「家族インタビュー」なんです。

ちょうど相棒にアーティストがいたものですから、彼のアイデアで、みんなにね、「ビデオカメラをもって、お父さんやお母さんに質問してきてください。そしてその映像も撮ってきてください」と頼んだ。

そうしたら、ある女子生徒は、お父さんが寝ているところをバンバン叩き起こして、「過去にはいじめとかいろんないきさつがありましたが、あのときわたしがこうしたのをお父さんはどう思っていましたか」と質問した。

インタビューとしてやるから、アナウンサーのようなしゃべりかたになるわけです。そうするとね、お父さん、目ぇ覚まして「な、なんや!?」って。そりゃそうですよね。じぶんの娘から、ふだんと全然違うよそゆきのことばで、いきなり「あなたはあのときどう思いましたか?」とかいわれたらドキッとします。お父さんたら完全にテレビのニュース番組でインタビュー受けたように、「あのときはですね」とかいってね、しゃべりだすんですよ。

あるいは男子生徒だったら、お母さんが台所で料理しているその最中に、斜め後ろぐらいから、ぶつぶつ、ぶつぶつ話しかける。やっぱりふだんと違う、整ったことばで「あのときはいったいどうだったのでしょうか……」。アナウンサーのようにインタビューすると、お母さんもほんとにコロッとしゃべりかたが変わって、すごく整った話をされるんですね。

この意味はあとで考えますけれども、そういうことをいっぱい試してみて、二年目ぐらいから、みんなようやく少しは話してくれるようになった。

「あいつら、ほんとうは弱虫とちゃうか」

そういうふうに、なかなか話せないひとがいる一方で、世のなかを見たら、アホか、というぐらいしゃべるひとがいますよね。とくに国会での委員会の中継とか、記者会見ですか。

ああいう場面を見ていて、はぁーとため息がでるのは、「語り」からほど遠いから。

みんな用意された――あらかじめ書面で質問をさせておいて、ですよ――ことば。職員やスタッフのだれかが回答を書いて、それを政治家、あるいは官僚が棒読みする。それは「書きことば」です。語りじゃない。

彼らは朗読している。それから絶対、相手の顔を見ない。だって原稿を読むわけですから。書きことばでペラペラペラペラと停止もしないで、よどみなく話す。どちらに理――あるいは利でしょうか――があるかを議論しなければならない国政のだいじな場で、「語り」あるいは「話しあい」のいちばんの基本――だれかに本気でなにかを訴える、伝える、そのことばがどうしても相手に届いてほしいという思い——をはずしている会話が交換されているのを見るにつけ、なんとレベルの低い政治なのかと悲しくなります。

でも、政治だけじゃなくて、みなさんのクラスの話しあいのなかでも、そういうタイプのひとは意外にいるんじゃないですか。よどみなく話す。しゃべりまくる。裏返すと、じぶんの話が途切れるのが恐い。途切れるとそこに隙ができて、なにか言われるんじゃないかと思うから、相手を完全に説き伏せるまで、隙なく勢いでワーッとまくしたてるひとっていますよね。いますよねって決めつけたらいけませんが(笑)。

もう半世紀以上前、みなさんぐらいの年齢のとき。ぼくは哲学とか思想とかが嫌いじゃなかったんですけれど、高校にはそういうのが大好きな生徒がいて、そしてまたそういうことをしゃべるのが大好きな先生がいた。

当時は「倫理社会」という授業があって、思想史なんか勉強したときには、その先生と三、四人の、途切れなく、よどみもなくしゃべる連中が熱い議論をしている。それこそぶわーっという感じ。それを見ていて、ぼくは思想にはかかわるまいと思って（笑）、弁当食ったりしていました。

そんなふうに滑らかにしゃべりまくる姿を見ていて、「あいつら、ほんとうは弱虫とちゃうか」と思った。ことばを途切らせる、空白にする、あるいは隙をつくることに、なんかすごい怯（おび）えがあるんじゃないかなと感じたことがあります。

学校には、なんのくぐもりもないそんなおしゃべりに興じるひともいれば、口ごもったままのひともいるけれど、世のなか、国会のような議論の場、あるいは報道の場では、書きことばでしゃべりまくる、しかも相手の顔を見ない態度がまかり通っている。

ただもう論点をぼかす、そらす、すり替える、煙に巻く、揚げ足を取るためにしゃべりまくっているとしか思えない。話しあいの基本を逸脱というか、喪失してしまっている。

その傾向がますます強くなってきて、なにが不安なのかたえずしゃべりまくる、あるいは書きこみをしまくる、ため息すら送ってしまう。TwitterとかFacebookなどのSNSによって時代状況がどんどんエスカレートしてきているような気がします。


「あいつら、ほんとうは弱虫とちゃうか」

寺山修司はこう言った

そういうなかで、一九六〇年代ですから半世紀以上前に、寺山修司――歌人で劇作家。「天井桟敷」という世界的に活躍した劇団を主宰していたひと――が、すごくおもしろい、まるで檄文のような文章を書いていたので、それをちょっと紹介したいと思います。

世のなか、とくにテレビなんかがどこのご家庭にもあるようになったとき、なめらかに滑るようなことばばっかりで、なにか心がほんとうの意味でざわついてしまうような、これからじぶんの気持ちはどうなるのだろうと、ちょっと恐くなるような、そういうざらついたことばがどんどん人びとの会話から消えているということをめぐって、彼は次のように書いています。ちょっと聴いていてくださいね。

私は、現代人が失いかけているのは「話しあい」などではなくて、むしろ

「黙りあい」だと思っている。

本当の沈黙のない時代に、本当の話しあいだけが成立する訳がないではないか。

大きなコミュニケーションが発達し、週刊誌やテレビのメディアがふくれあがるほど、沈黙は死んでゆく。

そして「黙っていることに耐えられない」人たちがどんどんふえてゆくのである。

だが、黙っていることを忘れてしまった人たちが、本当の「話しあい」を思い出すことはないであろう。

彼等はつぎつぎと話相手をかえては、より深いコミュニケーションを求めて裏切られてゆく。

そして、沈黙も饒舌も失ってスピーキングマシンのように「話しかけること」と「生きること」とを混同しながら年老いてゆくのである。

（『歴史の上のサーカス』）

なんか突き刺さってくるようなことばですね。痛いです。

いま必要なのは「話しあい」じゃなしに、「黙りあい」ではないか。おそらくいまのたとえばスマホとかSNSなんかでいえば、なにかこう、ことばをいったん呑みこむということがすごく少なくなって、ことばがじぶんに向けられるとそれに反射的にメッセージを返してしまう。

いったん呑みこんで、う〜ん、と口ごもってしまって、「だんまり」を決めこんで、じぶんなりにそのことばと折りあいをつけようとする、そんなプロセスを経てことばを返すということがない。この「だんまり」、ことばを呑みこむ部分がものすごく浅くなっているんじゃないか……。寺山修司はそのことを言おうとしたんです。

この「だんまり」が、ときにささやかで静かな、しかし断乎たる抵抗になることもあります。ぼくがそう思ったのはね、二〇一一年、東日本大震災の被災者の「こころのケア」のために全国からカウンセラーとか臨床心理士のひとたちが駆けつけたときでした。

いちばんつらいことば

大震災のとき、ボランティアの人がこぞって東北へ支援に向かいました。その支援の現場で、十六年前の阪神・淡路大震災——まだみなさんは生まれていないですが——を経験しているボランティアの人たちは最初からなにも言わなかった。なにも言わずに、黙って掃除をしたり、片づけをしたりしていた。ちなみに被災者の「こころのケア」という取り組みが初めてなされるようになったのは、阪神間を中心に大被害を受けた一九九五年のあの震災からです。

支援に駆けつけたひとたちはふつう、悪気なく、励まそう、元気づけようと思って「がんばってください」と言う。

じつはこれね、被災者の人たちからしたら、いちばんつらいことばのひとつでもあるんです。

「がんばってください」

って言われたときに、ほんとうは、

「ここまでずっと必死でがんばってきたのに、あと、なにをがんばればいいんですか？」

と言いたい。

「がんばってください」と言ってほしくないんですね。けれども、だいじな時間を割いて、じぶんたちのために手伝いに、応援に来てくれる人には言い返せない。

あるいはカウンセリングなんかでよく言われる、

「あなたのお気持ち、ほんとによくわかります」

これもやっぱり被災者のひとたちにとってつらいことば、あるいはカチンとくることばです。これだけの悲しい目や苦しい目にあったことのないひとに、そんなに簡単にわかられてたまるか。

あと、もうひとつ例を挙げますと、われわれもつい言いそうですけれど、

「だいじょうぶですか？」

つい、声をかけたくなりますよね。そういうときには、

「だいじょうぶでないことくらい見たらわかるだろ」

って言いたくなる。被災するとはそういうことなんです。

「神戸のひとがうらやましい」

支援の現場でつぶやかれていたこととして、こんな話を聞いたことがあるんです。

ひとつは「神戸のひとがうらやましい」ということ。〝兵庫県〟とか〝神戸〟とか〝淡路〟の腕章つけて、お役所のひとが救援に来ている。その人たちは、「あ、あの人たちだったらなにも言わなくてもわかってくれるだろう」という目で見てもらえる。だから神戸のひとがうらやましい、あの腕章がうらやましいとおっしゃっていたというんです。

もうひとつは、「保健師さんがうらやましい」。

なぜかといったら、保健師さんは、「だいじょうぶですか？」とか「お気持ちわかります」とかそんなことは言わない。

「とりあえず体温測りましょうね。血圧も測っておきましょうね」

と、勝手に相手の手を取って、キュッと縛って血圧を測ったりとかできる。「ことばをどうかけたらいいのか」とかなにも考えないで、職業的にパッと相手の身体（からだ）にふれることができる。うらやましいなあって。

裏返すと、それほど「ことばってむずかしいなあ」と痛感したひとが多かったということです。

「だんまり」にもいろんな面があって、なにかが恐くて黙ることもあるし、腹が立って、あるいは抵抗のためにことばを発さない場合もある。あるいは、さっきお話しした「名前のない学校」に来てくれていたひとたちにも、みんなが語ることば、あるいはおとなが求めることばを反復するだけの語りはしたくないとの思いがあったのかもしれません。

出したり引っこめたりの感触がだいじ

そういう「だんまり」のなかからわたしたちは、でもやっぱりことばを通してじぶんをつかみたい、じぶんをなんとか理解したいと思って、ぼそっと声を出すことがある。

それが次にお話しする「つぶやき」です。

語らいとか話しあいとかコミュニケーションじゃなしに、まだことばとしては不完全なままに、すごく簡単な単語とか、あるいはものすごく短いフレーズを、そっと他人の目の前に差し出して――あるいは、こぼしてと言ってもいいかもしれません――他人がそのことばをどう受けとめるか、またそのことばを聴いてどんな反応をするか。

じぶんのことばを、ほんとうに断片的にだけれど、ひとの前に差し出してみるときの最初のタッチ、さわる経験が「つぶやき」です。だから、しゃべりまくるあのSNS的なことばとは全然ちがう。もっとふつうの、ぼそっと発せられることばです。

この「つぶやき」は相手にどう取られるかわからないから、すらすらと出て来ないんですね。ぽそっと単語を発したり、短いフレーズで言って相手の反応をさぐりつつぽそっと別のことばをつなげたりというふうに、非常に不安定。だけれ

出したり
引っこめたりの
感触が
だいじ

ども、最初にじぶんのなかから出てくる肉声というか、地声に近いものだと、ぼくは思います。

「つぶやき」につきまとうのは、なんかおどおど、出したり引っこめたり、そういう感じです。

要するに、いちばん気になるのは、相手にどの程度伝わっているか。ちゃんと届いているのだろうか、あるいは、かわされているのだろうか、あるいは、まったくわからないのだろうか、すごく不安なんです。

さっき政治家たち、官僚たちが棒読み答弁するのが情けない、だれかに本気でなにかを訴える、伝える、そのことばがどうしても相手に届いてほしいという思いが全然うかがえないと言いました。

彼らは薄っぺらで、そのくせ不安がないんですね。さらに顔を上げないので、あて先が見えない。それでも平気。ことばには中身・意味以外に感触があるはずなのに。

「つぶやき」のなかでは、感触がとてもだいじなのです。

固有名詞と呼びかけ

考えてみれば、固有名詞って不思議ですね。

みんなじぶんの名前を固有名詞としてもっている。みんなの名前はけっして一般名詞じゃなくて固有名詞です。ぼくの場合だと鷲田清一。鷲田も清一もあんまり多い名字や名前ではないですが、山田太郎さん、佐藤一郎さんのような、よくある名前っていっぱいあります。

固有名詞、とくに固有名、じぶんの名前で奇妙なのは、それがそのひとだけのものじゃない点です。同姓同名、同じ名前をじぶん固有のものにしているひとって世間にはいっぱいいる。なのに〝わたし〟をあらわす詞(ことば)なんです。これ、不思議でしょ？　固有名詞なんて、矛盾しているんじゃないか。いっぱいあることば、多くのひとがそれでじぶんのことを呼んでいるのに、そのひとそのものをあらわしている。まことにヘンな話です。

でもね、名前を固有名詞たらしめるのは、その名前が世界にひとつしかないからではないんです。世界に何万とあったっていい。それが固有名詞になるのは、わたしたちが物心つく前から、その名前で呼ばれてきたから。ここにいるわたしをあて先とし、その語でわたしを指示していることによるんです。いっぱいある名前なのに、それが〝わたし〟だけの名前であり、同時に〝わたし〟そのものをあらわす固有名詞の意味を得られるのは、ここにいるこのわたしがあて先になっているから、だれかによる呼びかけの対象になっているからなんですね。

「つぶやき」とはいきなり議論を吹っかけるとか質問するとかではない。本来だれにも向けられていないことばで、ぼそっと、じぶんで漏らすのです。でも、そのことばにふれた人が、ぐっとにらみ返すとか、あるいはことばを返してくれる。とにかくさわってくれたときに、その「つぶやき」が次の「語らい」へと、もう一段ステージを上げていくきっかけになる。

これ、すごくだいじなことなんです。

固有名詞でだれかを呼ぶ。道を歩いていても、じぶんの名前、うしろから呼ばれたらドキッとしますよね。ボールがぽんと当たったような気がする。どうして固有名詞がそういう力をもつのか、衝撃力があるのかといえば、そのひと自身にさわることとほとんど同じだからです。見知らぬひとに、うしろから声をかけられたとき、ほんとにふれられたような、ボールが当たったような感じがするでしょ？

だからね、昔から西洋でもそうですけど、日本だったら「いみな（諱／忌み名）」といって、そのひとを名前で呼ぶことを避けた。家族とかだったらいいけれども、他人のあいだでは、そのひとの名前を呼んだらさわることになるから、別のやりかたをする。たとえば官職とか立場の名称で呼ぶ。

そのいちばんの典型が「先生」。あるいは、みなさんは経験ないかもしれないけれど、繁華街とかに行くと、呼びこみのひとに「社長！」とか言われたりする。昔ね、友人と連れ立ったら、友人が「社長！」なのに、ぼくは「部長！」と言われたことがあって、ひどく傷ついたことがありますけれど（笑）。

「奥さん」もそうですね。奥さんとは家庭のひとつの職分をあらわす。みだりにさわってはいけないからそう呼ぶわけです。逆に言うと、固有名詞で呼ぶのは、その人にさわるに等しいことなんですね。

命名・襲名・改名

　さてその名前ですが、ひとの名前はまわりのひとから贈られたものです。じぶんでつけたわけではありません。わたしが〝わたし〟になるよりも先に、名前があるわけです。

　ぼくらは、周囲のひとから名前を贈られて、最初はその名前を使って、たとえばサチコという名前を与えられたら、サッちゃんと呼ばれて、そのときにじぶんのことを「サッちゃんはね」って言う。その段階からだんだん、ひとから贈られた名前、それをじぶんで引き受けるようになっていって、同時に「ぼくは」「わたしは」と言えるようになっていく。そして人から名前を呼ばれたら「はい、わたしです」という答えかたをするようになる。

　要するに、じぶんの名前を一歩一歩、「わたしのもの」として引き受けていくのが成長するということです。

　その一方で、いまは伝統的な宗家とか芸能界にしか見られませんが、かつての社会には年齢とともに「名替え」をする慣習があたりまえのようにありました。子どもの成長とともに名を替えていくわけで、ときにはそのつど儀式として「襲名」の披露もしました。

現在はこれとは別の文脈で「名替え」が必要になる場面があります。なにかの理由で戸籍を変えたり、性別を変えたりする場面です。

この「改名」が先の「襲名」と異なるのは、「襲名」の場合、他者によって、いわば再生の祝福として別の名が贈られるのにたいして、「改名」の場合は、新しい名をじぶんでじぶんに与えるという点です。名前というのは、一人ひとりにとって測りしれないほどだいじなものです。ふつうなら、おまえの名はこれだと、ポンとあてがわれる。選択の余地なんかありません。でも人生のある段階で、じぶんでじぶんの名を変えるというのは、どういう名にするかということ自体になにか確かな根拠があるわけではなく、どうとでもつけられるという意味ではきわめて恣意的で、そんな恣意によってじぶんの運命がある程度決まるかもしれないというのはとても恐い。そしてなによりも、そういう名づけをたったひとりでしなければならない。それは考えてみれば、凍りつくほどに孤独ないとなみです。

それはじぶんの再生のためとはいえ、人生においてそうそうあるわけではない寂しい時間かもしれません。

だからこそ、その名で〝わたし〟のことを呼んでくれるひとが要るのです。ぼくらはじぶんがだれか他のひとの語りかけの確かな相手であることによって、ここにあるこのじぶんの存在を感じます。新たな名をみずから与えたひとには、みながその名で繁く呼んであげる、そういう支援が必要なのです。

そのことによって、そのひとは、新しい名に追いつき、やがてそれを代わりのきかないものとして得なおすことができるのです。

京都市立芸術大学の卒業式

ぼくは二〇一五年から二〇一九年まで京都市立芸術大学の学長をつとめました。それまでは大きな大学にばかりいたので、卒業式といっても代表のひとに卒業証書を渡すだけだったんですけれど、音楽と美術を合わせて二百人ほどの大学には、昔からずっと守られてきた卒業式の作法があるんですね。卒業生全員の名前をひとりずつ呼び、ひとりずつ起立して、大きな声で、はい！と答える。

大学へ入ってきたときには、先生も職員さんも新入生のことをなにも知らないけれど、小さな学校だから、四年間、ああ、この子はなにに苦しんできたか、なにに悶えてきたか、どんな格闘をしてきたか知っている。実技の世界ですから、みんな見ているわけです。ぼくはじかに教えない学長という立場でしたが、たいていの学生の顔がわかったし、教職員のひとたちはほぼ全員の顔を知っていた。

そんななかでの卒業式です。学生が一人ひとりの〈個〉として、これから社会のなかで生きていく。その出発地点なのですから、だから○○学科代表でも、卒業生一同でもなしに、一人ひとりを名前で呼ぶ。ずっとそうやってきた。

ぼくのあとに就任した学長さんのときは、コロナ禍のため、たいていの大学で卒業式が中止になりました。でもこの大学は、京都でおそらく唯一だと思いますが卒業式を挙行したんです。

「密」を避けるため保護者の列席はご遠慮いただき、時間を短縮するため来賓のご挨拶もいくつか省略したそうです。でも、学生一人ひとりに名前で呼びかけ、それにたいし学生は「わたしはここにいます」という意味で「はい！」と答えて起立する作法だけは曲げなかった。大学の方からそう聞いて、ほんとうによかったなと思いました。

そこで「つぶやき」の話に戻ると、断片的にぼそっと差し出された「つぶやき」にさわるところからようやく「語らい」が始まります。それがはたして、いまのTwitterというもの――tweetは「つぶやき」という意味ではありますが――と通じるものか……。ぼくには似て非なるものに思われてしかたがありません。

物語(ストーリー)として編まれるこの〝わたし〟

「語らい」。これは、いま言った「つぶやき」に何度も何度もふれるなかで、つまり、その人にさわるなかで、やっと固有名詞で名乗ることができた人たち同士のことばのやりとりです。これもけっこう恐いものです。

恐いといえば、ぼくが研究者として半世紀ほど所属していた学会なんかでは、批判の応酬なんかあたりまえです。あなたの論文は、こことここのあいだに論理の飛躍があるとか、これだけのデータでは実証性に欠けるとか、あなたの考えかた、解釈はまちがっているとか、しょっちゅう厳しく指摘されます。

でも、論理だけでものごとを公正に判定するとの前提が共有されていると思うから、いくら言われてもくやしくはなるけれど腹は立たないですね。もちろんくやしいことはくやしい。チキショー、こんどは絶対に隙を見せないぞという気になる。

でも、公正な基準のある会話じゃなしに、日常のわたしたちが、ひととひととが出会ってなにかを話す、そういうときの語らいとか話しあいでは、傷つくことがすごく多いですね。学会の恐さとはまったくちがう。

では、いったいなぜ傷つくのか。なにに傷つくのか。

みなさんが読んでくださった『じぶん・この不思議な存在』。あの本のなかに出てくるロナルド・デイヴィッド・レインという精神科医のことばがヒントになります。《わたしはだれか?》ひとがそのひとである根拠、つまり「アイデンティティ」は、「わたしがじぶんに語ってきかせるストーリー」だという、あの指摘です。

〝わたし〟ってなんなんだろう？　というときに、レインは、それは「わたしがじぶんに聞かせるストーリー」なのだと言った。〝わたし〟という存在は、そのように言葉で紡ぐ物語（ストーリー）で編まれているということです。

ちょっとむずかしい言いかたですけれど、よく考えたらそうなんです。もちろん生まれた直後ですから、みんな名づけられたシーンなんて全然おぼえもないし、そもそもじぶんが生まれたときの状況なんか記憶のなかにあるはずもないのに、じぶんはここに生まれた、このひとを父とし、このひとを母とする子であるというのを、じぶんのアイデンティティのなかに、あたりまえのように取りこんでいるでしょ？

でも、それはあくまで物語（ストーリー）なんです。最終的な根拠がないんです。ひょっとしたら、いまの両親とはちがうひとのもとに生まれたけど、なんらかの事情があって、このひとたちを両親として、法的にも心情的にもそういうひととして設定された。それがこの家族だ、ということにすぎないかもしれない。なんの証拠もないけれど、いつも親もそう言うしまわりのひともそう言うから、しだいにそれがあたりまえになってきて、ぼくらは、「じぶんはここの子だ」と、勝手に、じぶんに語っているわけです。そういうことがいっぱいある。

じぶんは男性であるのか、女性であるのか、その他の性であるのか。この問題もそのひとつ。その問題は服に書きこまれている。服って窮屈なものだし、男の子も女の子も最初はイヤなのに、それを着せられているうち、こういうときはこういうふうにふるまうべきだとか、男子かくふるまうべし、女子かくふるまうべしといった規範がきっちり刷りこまれ、内面化されてゆくなかで、たとえば男子なら、座るときはあぐらをかくのがあたりまえというふうに、じぶんをつくってゆく。

ストーリーがゆらぎ、傷つくとき

そんななかで、たとえば「じぶんがいま、すごくひねくれた人間、疑い深い人間になっているのは、小学校のとき、だれだれちゃんにひどくいじめられて、だまされて、こういうことがあったからだ」とか、あるいは逆に、「じぶんはこんなふうに育ったので、こんなに楽天的なふうにものごとを考えるんだ」と、さらにくわしく、肉付けしていくひともいる。

いずれにせよ、じぶんがいまどういう人間であるかは、じぶんがじぶんに語りつづけてきたもので、とくべつ根拠があるものじゃない。ただ、それなりに首尾一貫しているので、納得しているものにすぎないのです。

しかし、人と語らっていると、しばしばそのストーリーがゆらぎ、壊れそうになる。

「語らい」のだいじなところって、まさにそこなんです。

と言っても、ちがう証拠が出てくるとか、そういう意味じゃない。同じものを見ていても、じぶんはこうだと思うし、また、こうとしか思わないのに、それとはちがうふうに思うひとがいるということを目の当たりにする。えっと驚く経験が、他者との「語らい」なんです。

ひとはみんな生まれもちがうし、どういう環境のなかで育ってきたかもちがうし、さらにそれをどう、じぶんで語ってきたかも、みんなちがう。

「あ、そうそう、あるある」とか「そうだ、そうだ」と考えがいっしょになるということは、「語らい」でもコミュニケーションでもなんでもないんです。そこからはなにもひらけてこない。ただの自己確認みたいなもの。

そうじゃなしに、ほんとうの「語らい」では、さっき言ったように、同じものを見ていても、「このひと、こんなふうに感じるのか」と思わされる。感じかたが微妙にちがうことが少しずつわかってきて、そうした理解が増してくる。同じところ、共通するところを確認するというより、互いのちがいがより繊細に見えてくるようになるのが、「語らい」なんです。

ああ、ここにじぶんとはちがうふうに感じ、ちがうふうに思うひとがいる。そのかぎりにおいて、わたしにはわからないものがある。それを知るのが、ほんとうの意味でのコミュニケーションであり、他人のことがわかるということなんですね。

しかし、これはじぶんを危うくすることでもある。

じぶんが壊れないように支えてくれるもの

じぶんがだれかということに疑いが芽生える。

あれ？　いままであたりまえのように語ってきたこのじぶんは、ひょっとしたら巧妙につくられた物語にすぎないんじゃないか、このストーリーには嘘がそっとふくまれているかもしれない、もっとじぶんをちがうふうに感じないとおかしいかもしれない。だって目の前のこの人はこんなふうに感じているんだから……と、じぶんのこれまでが根底から揺さぶられてしまう。

じぶんが壊れてしまう可能性、崩れてしまうような気配が表に出てくる。そういう意味では恐いんです、本気でだれかと語らうのは。でも、それを裏返して言うと、じぶんが生まれ変わるきっかけがそこにあるということでもある。

「だんまり」のところで、ことばってむずかしい、いつも過剰か過少である、じぶんをよけいわからなくする面、それからじぶんをまとめてくれる面のふたつがあると言いましたね。「語らい」も同じ。じぶんがじぶんでなくなる恐さと同時に、もっと別の人間になれるチャンスをはらんでいるわけですね。

心細いと言ったらいいのかな、この不安なプロセスにあって、じぶんが壊れないように支えてくれるもの、それこそが「語らい」なんです。じぶんを空中分解させずに、これまでのじぶんを少しズラして、「あ、このひと、こんな感じかたしているんだ」と参考にして、「こんなふうに感じたらいいんだ、こんなふうに思ったらいいんだ」とじぶんをつくり変えていく。語らうなかで、これまで気づいていなかったじぶんにチューニングしていく。

つまり、お互いに聴きあうということ。このプロセスがとてもだいじなんですね。

じぶんのことばっかり語ったら、それはモノローグ、ひとり語りになってしまいます。そうじゃなしに、ほんとうの語らい、語りはダイアローグ、もっといえばむしろ聴きあうことのうちにある。

相手の話をちゃんと聴いて、「あ、じぶんがあたりまえだと思っていたのとはちがう感じかた、考えかたもあるんだな」と気づくことがだいじ。それがこんどはしゃべっているひとの、じぶんのストーリーの再確認のプロセスにもなる。そ

じぶんが
壊れない
ように
支えて
くれるもの

ういう裏表の反転、じぶんと他者とのあいだのやりとりが、たいせつなところなんですね。

河合隼雄先生の「ほう」

でも、相手の話を聴くというのはとにかくむずかしい。すぐ否定したくなったり、じぶんはこう思うと反対の主張をしたくなったりする。

ぼくなんかは、ひとの話を聴くのがあまりじょうずじゃない。教師をやっていると、一人ひとりの話を聴くよりも、しゃべっているほうがラクなんです。こうやってしゃべっているほうがラク。教師とはものすごく聴きベタな種族です。

だから、ぼくは学生が卒業論文の相談に来ても、半分ほど聴いたらもうだいたい相手の思っていることの想像がついて、ここで困っているんだなとわかりますから、

「それはこういうことです」

河合隼雄先生の「ほう」

「ここで行き詰まってるんですね。問題はそこにある。そのためにはこの本を読めばいい」

とかなんとか言ってね、最後まで聴き終える前に、いろんな指示を出したりしてしまう。

むかし、ユング派の心理学者で臨床心理家でもある河合隼雄(かわいはやお)先生と対談したときに、正直に言ったんです。

「わたしは『「聴く」ことの力——臨床哲学試論』(TBSブリタニカ)なんて本を書いたりしてきたんですけど、それはわたし自身が聴きベタだからなんです。ちゃんと聴けないから、聴くってどういうことなのか必死で考えてきたんです」

すると、河合先生はこうおっしゃいました。

「ひとつ、ええ手があるよ、ひとの話聴くのに。なにかというたら、ほうと言うことや。ひとがしゃべっている。そこで、えっ、ほう、ほーう、って言うたら、もっと話してくれる」

しかも、その「ほう」についても、

「ほう、ほうと言ったら、なんや踊りみたいなあれになるので、毎回ニュアンスを、口調を変えて、ほう、ほーう、ほお、はあ、というふうにやってみる。そしたら相手さん、しゃべりにくうても懸命に話してくれるよ」

なるほどなぁと思いました。

聴くときは、正面から聴くのがいちばんむずかしいので、なんの関心もなくてもいい、ただ「ほうほう、ほお、ほう」言ってたらいいんだ。それぐらい軽く考えたほうがいいって、河合先生はおっしゃるんですね。

じっさい、そうなんです。ほんとうに聴きじょうずな人は正面から聴かない。それでどう思ったの？　とかなんとかいわずに、適当に聴き流している。正真正銘の聴き流しでも、あるいは聴き流すフリでもいい。

たとえば、ほんとうに子どもの話をよく聴いているお母さんを見ていると、「ふーん、そうなの。いろいろあったのね」とか言いながら料理していたりする。かえってそのほうが子どもとしては正面から向かいあうより話しやすくなる。

それから、いったん聴いても「聴かなかったことにするわね」という聴きかたをされると、ひとって逆に、すごくしゃべれるようになるんですね。

どうして、そういう聴き流す、聴いたフリをする、聴いていないフリをする、

河合隼雄先生の「ほう」

聴かなかったことにする、あるいは芝居でもいいから「ほう、ほお、ほーう」などと、一見ふまじめそうに見える聴きかたをするのが重要なのか……。それは、しゃべるほうが、かなり危うい状態にいるからなんです。

じぶんを語りなおす、これまでとちがったふうに、ひとの前でじぶんを話せば、じぶんが壊れていくプロセスを見せることになる。うまく語りなおせたらいいけれど、語りなおしに失敗してしまうプロセスを相手にさらしてしまうかもしれない。こんな恐いことはないです。

サナギみたいなものです。青虫がサナギになって蝶々になる。青虫とチョウチョウって形も顔も全然ちがう。組織がちがうじゃないですか。なぜ、そんなことが起こるかといえば、青虫から蝶々になるあいだに、サナギとしてじぶんの身をくるむ鎧(よろい)を着けてから、そのなかでじぶんを解体するからなんです。サナギのなかってドロドロなんですよ。じぶんを解体して蝶々というまったく別組織のものに変えるまで、サナギのなかにいるわけです。

じぶんが変身する、変わるときの状態もドロドロなんです、言ってみれば。話しているときってそれを、さらすんです。じぶんを、これまでとちがったように、もっと別のじぶんになるためにドロドロになっている。このまま破裂したらどうなるだろう、崩れたままでどうなるだろうと恐い。そんな不安でしかたがないときに、正面からそれを、壊れないかどうか、まんじりともしないで見てるひとがいたら、よけい緊張する。そんなものないかのように、まったく関心をもたれないのはつらいけど、関心をもたれすぎるのもしんどい。むしろちょっとはずしてたり、ズラしたり、かわしたりして、それでも見てくれている、あるいは聴かなかったことにしてくれる、聴き流すだけにしてくれる、そういう聴きかたをするひとがいてくれることが、じつはいちばん助かるんですね。だから、「語らい」においては、ひとがじぶんを生きなおす、語りなおす、そういうプロセスそのものの以上に、それを支えてくれるようなひととの関係がすごくだいじになるんです。

時間をあげる

聴くというのは、相手がじぶんで語り尽くすまで待つということなんです。いいかえると、聴くというのは、つまるところ、「時間をあげる」ということなんです。これはことばでいえば簡単ですが、じつはものすごくしんどいことです。相手はけっしてすらすら語ってくれないし、ときに長く黙りこんでしまうこともある。その沈黙の時間がとてもしんどくて、すぐ「あなたの言いたいのはこういうことじゃないの?」というふうに、ことばを迎えにいく。

でも、じぶんで最後まで語りなおすのでなければ意味がない。じぶんが変わるというのは、じぶんを編んでいる物語を組み換えるということだから、じぶんで語りつくさなければ、他人のアシストに頼っていたら、またすぐ元の木阿弥になるのです。語りなおす、そのプロセスをじぶんで歩みきることが重要なんです。

だから、聴くほうも、揺れる相手の思いをじぶんの理解の枠に収めようとしてはいけない。気が急くというのはだれだってそうだけれども、相手がじぶんで語りきるまでじっと待っていないといけない。それは語らいというのがそれぞれにかけがえのない思いの交換であり、たがいに共通するところを見つけようとするのではなく、それとは正反対の過程、つまり同じ事態に向きあっているのに、このひとはこんなふうに感じるのかというふうに、じぶんと相手のあいだの差異を

時間を あげる

こそ、深く、そして微細に思い知らされるというできごとだからです。

ですから、聴くというふいとなみにおいては、じぶんの思いや主張を認めてくれたと相手が思うよりも、じぶんのもつれることばがそのままできちんと受けとめてもらえたということのほうが、大きな意味をもつのです。

互いの、こういう存在の肯定とでもいうべきものが、語らいでは大切です。ひとは、じぶんの言いたいこと（ことばの意味）ではなくて、言いたいというその気持ち（ことばの肌理（きめ））をこそ受けとめてほしいのです。だから妙に簡単にわかられたら、逆にじぶんのことばがそらされたと感じもします。

ちがう語り口で話す

これまでは〝わたし〟というものについて、もっぱらわたしにとっての〝わたし〟として話してきましたが、いうまでもなく、〝わたし〟はさらに人びとのなかのひとりとしての〝わたし〟でもあります。組織や地域のなかのわたし、市民、国民としての、そして人類の一員としてのわたし。そういうものとしてもわたしは言葉を発します。でも、それらは一つひとつ次元（ディメンション）を異（こと）にしており、そのそれぞれに固有の語り口というものがあります。街頭でインタビューを受けたときに、家族と話すのと同じ語り口では話せません。語調を変えるということが、そこでは必要になってきます。

さっき「名前のない学校」の家族インタビューの話をしたとき、このことの意味はあとで考えますって言ったのも、じつはこのことなんです。それは、ふだんは乱雑なことばで、あるいは、ほとんどことばをかわさなくてもわかる、断片的なことばで語っていた家族のなかに、別の水準のことばが入ってくるとどうなるかの試みなんです。

お父さんを叩き起こして、「わたしがあのとき学校でああいう問題を起こしたときに、どのように思っていましたか？」と聴くと、聴かれた父親は、映像にも撮られているわけですから、インタビューに答えるような語りかたで、「あ、あのときはね、あなたがこんなふうに言うから、そこでお母さんと相談して、こういうことにしようと思って、やったんです」とか言って、返してくれるわけです。

ちがう
語り口で
話す

つまりインタビューを受けるということは、相手をひとつの独立した人格として、じぶんの子としてではなしに、ひとりの人格として向き合い、そして質問の意味を受け取って、よく考えてからことばを返す行為なんです。一見よそゆきではありますけれども、きちっとした語らいを志向している。あるいはことばが足らないのも困るし、しゃべりすぎてもいけない。なんとかこの事態を説明するのにピッタリのことばを選ぼうと、おのずとよく考えて答えるようになる。そういう効果がビデオ収録しつつのインタビューにはあったんです。

みなさんだったらそれをクラスでやってみればいいんですね。

ありふれた例をあげると、クラブなんかで読書会とかやったりすることがあると思うんですが、ひとつの本をめぐって、みんなで感想を言いあって、その本の分析をする。そういうときでも、みんな放課後、会が始まる前に「ああ、きょうはしんどかった」とか「あの先生、腹立つなあ」とか、いろんなこと言いあうなかで、だれかが、

「じゃ、そろそろきょうの会、はじめましょか」

と言ったら、みんな口調が変わるでしょ？　少しはね。

いままでのタメ口でしゃべっていたことばが、

「はい、わたしはちょっと時間なかったので、きのう一日しか時間がかけられてないんですけれども、いちおうじぶんで整理したレジュメを作ってきましたので、どうぞ見てください。じゃ説明します」

と、こういう言いかたに変わってしまう。語調の切り換えをする、ちがう語り口で話す、これがポイントなんです。

心がけてもらいたいことは、たったひとつ

高校ではそんなことは日常的にやっているでしょうし、大学なんかでしたらね、ぼくの勤めていた大阪大学の哲学科では、授業中は全員〝さん〟づけにしたんです。先生って呼ばない。性差も呼称でつけない。男性なら○○君、女性には○○さんという言いかたの区別はしない。全員〝さん〟。先生はもちろんですけれど上級生も下級生もみなお互いに〝さん〟づけ。部活とも他の教室ともちがう

やりかたです。授業はずっとそれでやっていた。

最初は、先生のことを鷲田さんと呼ぶのに、新入生なんかはすごい抵抗があったみたいですけど、そんなのね、一ヵ月もかからずに、すなわち授業を四回やったら、すぐになじみました。いまでも卒業生とは、そういうふうにしゃべっています。

そんなぐあいに、語らいのステージをさらにもう一段上げて、大勢のなかのひとりとしての〝わたし〟、現代社会の市民としての〝わたし〟のレベルで、互いにきちっと意見交換する、意見を交わしあうようになっていくのです。

きょうは「だんまり」から「つぶやき」、そして「語らい」へという、ことばの生成の三つの段階についてお話ししてきました。失語、沈黙といったことばを失った状態から少しずつ脱してゆく、その過程についてお話ししました。

この過程は一方通行の、積み上げのプロセスではありません。積み木と同じで、ちょっとした揺れで、せっかく積み上げた全体が一瞬にして崩れてしまうことも、しょっちゅうあります。だいじなことは、途中まで引き返すのではなくて、いつもゼロから積み上げなおしができるということです。中途半端なところで折りあいをつけるのではなく、とことん凹み、ゼロまで立ち戻って、もういちど一から立ち上がるということです。ことばがいのちを保つにはどうしてもゼロ点へのその立ち戻りが必要なんです。

そうしてはじめて、じぶんをひらきなおすということも可能になります。そのひらきなおしの過程においてほんとうに大切なのは、たったひとつです。

語らいの相手、それは友だちであっても、街で知り合った人でも、なにかの集会でもなんでもいい。ただ、心がけとして、できるだけじぶんと同じコンテクストのなかで生きていないひと、生きてきた環境ができるだけ離れているひと、さらに言えば、じぶんでどんどん関係のコンテクストをつくっていける、ひらいていけるようなひと、そういうひとと話すよう、出会えるよう、心がけてほしいということです。

じぶんと同じような学校生活をし、じぶんと同じような家庭の環境にあり、じぶんと同じような趣味をもっているひとと話すのではなくて、できるだけ、人生の文脈がこれまでも、そして現在も、遠く隔たっているようなひとと話す。あえてそういうひとにぶつかっていくことが、じぶんをひらいていくときの心がまえ

心がけて
もらいたい
ことは、
たったひとつ

としては、もっともだいじなのではないかなと思います。

ということで、まったくちがうコンテクストからきたぼくの八十分余のお話でございました。これで終わらせていただきます。（拍手）

生徒と
ことばを

友だちから相談されることが多いんです

（会場にて質疑応答）

生徒A　はじめまして。貴重なお話をありがとうございました。

さっき「語らい」についてのお話を聴いて思ったんですけれど、ありがたいことにわたしは友だちからいろんなことで相談されることが多いんです。

そのとき、じぶんの意見というかじぶんがほんとうに、本気で思ったことじゃなくて、「この人はこう言ったら喜んでくれるだろうな」とか「いまこの人が欲しているのはこういうことだろうな」と想像して、相手を傷つけないようにしようとか考えて、ことばを選んじゃうんですよ。それってダメなことなのかなと思って、先生の意見を聴きたいなと思いました。お願いします。

鷲田　どんな場面でも、こうしなければならないという一般ルールってないんですよね。だから、ダメということはない。

いま、相手が望んでいるような方向にちゃんと行けるように後押ししてあげることがすごく大切な場面だとあなたが思うなら、そう言えばいい。

あるいは彼女はそうしたがっているけれども、彼女にとってそれがベストかどうか、あなたから見たら確信がもてない、ひょっとしたらそれちがうんじゃないかな？　という思いがあるときは、たとえば「はぁー、そんなふうに思うんだ」とか、あるいはもう一歩踏みこんで、「うーん、じぶんにはそれはできないけどね」というふうに、ちょっとノー、じぶんはそれに必ずしも同意していないニュアンスで返すのがいい場合もある。ケース・バイ・ケースだと思います。

さっき、河合隼雄先生に、「じぶんは聴きベタです」と打ち明けたら、それなら「ほう、ほう」と言えば、相手は、このひと、じぶんに関心をもってくれているると感じてしゃべってくれるよと言われた話をしましたが、それもやりようでね。ただ、「ほう、ほう、ほうほう」とやったら、きっと、「おまえ、おれのことバカにしているのか」と怒鳴られる。だから、なにかひとつの聴きかたがどの場面でも有効ではない、万能の対応なんてものはないと思うんですね。

じつはね、ぼくはいちばん親しい信頼している友人——もうそれこそ二十歳ぐ

友だちから
相談される
ことが
多いんです

らいのときからだから、ちょうど半世紀のつきあい——には、じつは悩みごとを相談したことがないんです。悩みがないからじゃなくて、悩みはあるけどどうしようもないというのがお互いそれぞれわかっていて……。

だからね、不思議なんですよ、なんとなくじぶんが話をちょっと聴いてもらいたいときに電話をかけて、「きょう、空いてる？」とか「久しぶりにメシ食わない？」とか言うでしょう。それで会ってみると一方が「まあ、いろんなことあるねえ」と言う。すると、片っぽが「そうだね」とか「そうだよな」とか言って終わり。

あんまりいつも同じパターンでおたがい笑ってしまうのだけれど、それでいい。なんか気が済むんですよ。

彼のほかにもうひとり、信頼する友人が東京にいますが、彼ともいつもそういう感じで、互いの個人生活についてはほとんどなにも語らない。なにに苦しんでいるかも言わない。でも、すごく親しいつきあいなんですね。そういうケースもあります。

意外とお互いをちゃんと見ていて、それはまわりが言って片づく問題ではないと感じている。あるいは最終的には本人の問題であって、じぶんには解決できない問題だと思う。だから事細かに聴いても、それにたいしてあれこれ言ってもしかたないことがわかっている。

なにか言えばそのときはスッとした気持ちになれるかもしれないけれど、たいていはあとでじぶんを咎めることになるんですよ。「じぶんの立場から、じぶんに見えていることだけ言っていたな」とか「相手の立場に立たないで、じぶんが言いたいことを吐き棄てただけかもしれない」という苦い思いがあとに残るから、かえって言わない。だまって見ている。こんなことばの選びかたもあるので……。

生徒A　ありがとうございました。

鷲田　いや、全然……。ことばってむずかしいね。いつも過少か過剰。全然伝わっていないかもしれん。だいじょうぶ？

生徒A　はい、伝わっています。そう思います。

鷲田　ならよかった。すみません。

友だちから相談されることが多いんです

ことばと「場」への責任

生徒B　鷲田先生、こんにちは。

鷲田　はい、こんにちは。

生徒B　ぼくは鷲田先生とちがって、わりと聴くのは得意なんですけど（笑）、話すのが苦手なんです。

たとえば、あるとき学級会があって、そのときは文化祭のことについて話したんですけど、なにかが決まって、リーダーの方が「じゃ、こういうふうにするから、みんなやってね」と言って、みんな「わかった」と、まぁ納得する。そのときぼくは、なんか「えっ、それって、もっとこうしたほうがいいんじゃない？」って思う――ヘンな言いかたしたら文句なんですけど――その文句を言ったら相手に嫌われてしまうのではないかという気持ちがすごくあって、あえて言わなかったりすることが多い。

じぶんのなかに「おれ、いまここで言ったら、あ、なんか、なんかヘンなふうに思われちゃうよな」という、一歩引くような気持ちがいつもある。そういう一歩引いてしまう気持ちを超えて、相手にものをうまく伝えるにはどうしたらいいのでしょうか。

鷲田　すごくじょうずに、言いたいことを言えてるじゃないですか（笑）。

生徒B　あら（笑）。ありがとうございます。

鷲田　（微苦笑しながら）それはね、たぶんですよ、うーん、ちょっと厳しい言いかたになるかもしれないけど、その場に責任をもつかどうか、もてるかどうか。

　こんなことを言ったら相手を傷つけるんじゃないかなとか、空気が悪くなるんじゃないかなとか、これから同じようにしゃべれなくなるんじゃないかとか、いろいろ思う場面はたしかにある。それは相手との関係でしょ？　二人の関係ではそういうことはしょっちゅうある。ときどき決裂したり、でも仲なおりしたり、紆余曲折（うよきょくせつ）はある。しかし、やっぱり気が合えば続いていくんです。無理することはない。

　それとは別に、相手とじぶんという二人の話ではなくて集団——クラスとか部活、あるいは地域で——の、みんなで話している場のときにはね、あえて、その場所に責任をもつ。もしここで聴きにくいことでも、わたしが言わなかったら、この場じたいの構造がゴロッと変わってしまうとか、あるいは、もう成り立たなくなるとか、その場への責任ですね、それを感じたときは、たとえ悪くとられても、少しその場を傷つけることになってても言わなければならないことってあると思うんです。

きょうは政治家さんやお役人のイヤな点ばっかり言いましたけれども、いわゆるオトナの世界、お役所でも、学校でも、企業でも、「忖度」ということばが飛び交っているじゃないですか。これをやると上司のウケが悪くなるとか弾き飛ばされるとか、先まわりして考え、行動する。それは「場」に関して無責任だとぼくは思うんです。

公務員としての矜持なのか、職場の倫理なのか、これを壊したらお役所という「この場」じたいがもう成り立たなくなる、住民や国民の信頼を得られなくなる。そう思ったらその場への責任として、忖度しないで「ノー」って言わないといけないと思うんです。

会社でもそう。不正とかに気づいたらやっぱり「おかしい」と声を上げなくて

ことばと
「場」への
責任

はいけない。これは個人の気持ちの問題じゃなくて、ひとりのメンバーとして、じぶんが属しているその場が壊れないかどうか、その場にかんして責任をもつべきだから。

あとでまたフォローしたらいいんですよ。「ごめんなー、あんたを責めるつもり全然なかったんだけど」とかって、適当にまた、あとはつくろえるものです。その場においては「場の責任」をもつ発言を、勇気をもってしないといけないし、それができる空気を日ごろから維持しておかないといけない。いけないって、きつい言いかたですけど、その後のこと考えるとね。

生徒B　ありがとうございます。

鷲田　はい。ありがとう。（拍手）

司会　たいへん名残り惜しいですが、時間となりましたので、ここで質疑応答を終わりにさせていただきます。鷲田先生、ごていねいな回答、ありがとうございました。どうぞ……。

鷲田　えっ、もう帰っていいんですか（場内爆笑）。

じぶんがなくなるまで影響下に入ってみる

（場をあらためての生徒有志との懇談）

鷲田　はい、入りますよー。もう始まってるの？

生徒C　ぼくは最近、いろんな本を読んでも、「じぶんはほんとに考えているのか」という疑問にとらわれてしまって……。理解するとはどういうことなのかわからなくなります。じぶん自身のことばって、そんなのがあるのか。そもそもことばとは、じぶん自身のことを表現するに足るものなんでしょうか。わからないので、それが聞きたいです。

鷲田　ことばってじぶんが発明したもんじゃないですからね。ことばがすでに流通しているなかにじぶんは生まれ落ちた。そういうもんなんです。

　だって「わたし」ということばがそうじゃないですか。『じぶん・この不思議な存在』という本にも書いたと思いますが、「わたし」ということばは、わたし

じぶんが
なくなるまで
影響下に
入ってみる

だけのものじゃなくて、みんながじぶんのことを「わたし」ということで成り立つものだから、「わたし」とは固有のことばじゃないんですよね。

ことばとは、そういうふうにみんなが共有してつかうものなのだけれども、同時にズラしたり、並べかたを変えたり、むずかしくいえば含みや韜晦を駆使したりするなかで、その人にしかありえないことばの並べかた、くずしかたができてくる。それが「語り」ということで、「わたしだけの語り」は、そういうしんどい作業の末に生まれてくると思うんです。それをやった人を作家とか詩人と呼ぶ。

ただね、あまり「じぶんの、じぶんの」と思わないほうがいい。

ほんとうにじぶんのことばが変わるためには、じぶんのなかのなにかをじぶんのことばとするためには、じぶんとは正反対のこと、じぶんのことばがひとつもなくなるぐらいまでの衝撃が必要だから。

心底好きになった、惚れこんだ著者、あるいはこの人の言うことはすべて、じぶんにビンビンくるという人の本。つきあったり、ぜんぶ読んだり。

中途半端にその人の、じぶんの心に響いたことばだけをリピートするんじゃなくて、いっぺんじぶんがなくなるまで影響下に入ってみる、もうなにを見てもその人のことばになってしまう、その人のことばでしか考えられなくなるぐらいまで影響を受ける。いったん受けつくして、じぶんをいちどぐらぐらになるくらいまで骨抜きにしてみる。そうすることで、その人とはまたちがうことばが理解できるようになる。そういうすごい書き手と出会えればいいのですけどね。

生徒C　ありがとうございました。

「時空を超えた語らい」

鷲田　あなたは何年生ですか。

生徒D　三年生です。

鷲田　ほう、高校三年生。十八歳。

生徒D　さきほどのお話の最後に、鷲田先生は、新しいじぶんをつくる、新しいじぶんになるためには、じぶんと同じコンテクストに生きてきたひと以外のひ

「時空を超えた語らい」

と語らうことが重要だとおっしゃいました。コンテクストとは境遇のことだと、ぼくはそう捉えたんですが、周囲は受験生ばかり、しかもコロナ禍でひととの接触ができないなかで、新しいじぶんをつくる、探し出す方法って他にあるのかなと思って。お尋ねしたいなと……。

鷲田　むしろ、いまはチャンスだと思います。外に出られないんだったら、室内で。そう、本を通じて。時代もちがうし、それから会ったこともない人の、ものすごい、ときにはていねいな、ときには深い、ときには理解不能なことばと触れられるチャンスです。

本のすごいところは、会ったこともない、世代もちがうし、生きてる時代もちがう人と一対一で向き合える点。「時空を超えた語らい」の場です。ふだんのいろんなおつきあいがむずかしくなっても別の出会いのチャンスが得られたと考えたらいいんじゃないかな。実際の対話と、読書における対話は、そんなに区別しないほうがいいと思いますよ。

生徒D　ありがとうございました。

ことばに道をつけてもらう

生徒E　先生の「語り／騙り」についてのお話の、記憶は脚色してしまう、話していくことでことばをつくってしまうというのは、ほんとうにそうだなって感じたんです。

いっぽう、口にだすことで、いままで漫然と頭で考えているだけでは気づかなかった、じぶんの気持ちに気づく、それによってものごとをじぶんで捉えられるようになることもあると思う。また、じぶんがいままで思っていたことじゃないんだけど、口にしてしまったことで、それがじぶんの新たな感情になったり、じぶんの意思だとかになったり、じぶんが傷ついたりとか、そういうこともあると思っていて……。

鷲田　そのとおりだと思います。

生徒E　それが必ずしもいいほうにはたらくとも限らないし、むしろヘンな方向に話がいってしまうこともあると思う。うまく言えないのですけれど、語ることとじぶんの気持ちの緊張関係みたいなところについて鷲田先生はどう考えていらっしゃるのかなと……。

鷲田　あなたのおっしゃるとおりだと思います。

さっき言った「つぶやき」ってそういうことでね。ぼくらはなんとかじぶんの思いをまとめないと、不安になる。バラバラのまま、散乱したままだったら、不安になる。そういうときに、無理してもまとめようとする。あ、こういう状況だから、こうじぶんは思う、まぁそれはしかたがないとかね。

しかし、「つぶやき」とは、まとまらないままに、ぽろっ、ぽろっと断片のまま、いろんなバラバラの思いを人前にだすことじゃないですか、嘘つくというのはうまくまとめるいうことだからあえてまとめないのがだいじなんですよ。

それからもうひとつ、「つぶやき」でだいじなのは、思いもしなかったことばがじぶんからでてきたりするとき。あなたの言うとおり。

ことばが逆にじぶんを救ってくれる場合がある。ぼくらはことばでなにかストーリーをつくるけど、じぶんがぽろっと洩らしたことばに引っぱられる、もちあげられることがあるんです。とくに「書く」ときはそうですね。

ことばに
道を
つけて
もらう

じぶんがなにか書きたい、こんなこと、思いがあるから表現したいというんじゃなしに、なにか書いている、書いたり消したりしているうちに、あ、じぶんが考えてることってこういうことなのかと、逆に、じぶんの考えがはっきりしてくる。そうすると、その次、じゃあどう考えたらいいのかが、すこし見えてくる。

いま『群像』という雑誌でぼくは「所有」について書いているんだけれど、まさに次回はどうなるかわからない。ほんとのところ。でも、なにか書くと、それを吟味している間に筋が見えてきたりする。筋が見えてくると、その後、いろんな内容の整理もできてくる、新しい課題も見えてくる。そうやって一所懸命に頑張れる。毎月、少しずつね。ことばに道をつけてもらう。

生徒E ありがとうございました。

直感はね、意外と正しいんですよ

生徒F 「語らい」によってじぶんをつくりかえようとするとき、じぶんのコン

直感はね、意外と正しいんですよ

テクストとちがう、離れているひとを求めよとのお話だったと思います。

ぼく自身についていえば、自分の興味ある分野の人とは饒舌に話したり、よく話を聴いたりするのが得意です。しかし、まったく興味がない分野だったらほんとに理解できないというか「語らい」にならない気がするんです。高校は同じ試験を突破してきた、似たような人が多いのでやりやすい。おそらく大学もそうじゃないか。でも、小中学校のときはいろんなところからいろんなひとが集まってくるので、ちょっと苦しかった気がする。

どうやらずっと、古いじぶんという殻のなかに留まってばかりみたいなんですけど、やっぱりどこかで変革を求める思いがあるのです。異なるコンテクストの人と「語らい」をするときに、興味をもてるためになにをしたらいいかをお訊きしたいのです。

鷲田　まぁ話を聴くだけではむずかしいでしょうね。しんどくなってくるから。じぶんの世界、あるいはじぶんのコンテクストと接点が見つからないような話を無理して聴こうというのはたいへんで、苦痛以外のなにものでもない。関心がもてないのに、しかも、すごい突っこんだ話になってきたら、じぶんのなかでそれをどう位置づけていいか全然わからなくなるでしょう。

じぶんのなかに位置づけるのがいいわけじゃないんですよ。じぶんの世界はそうそう変わらないから。なんかじぶんの周辺で、ちょっと異物みたいにしてそのことばが入ってくる、そういう自然な位置づけができるといいのだけれど。

しかし、ときどきね、全然わからないけど迫力あるものにぶつかることがある。「ああ！」って衝撃を受けることってあるんですよ。

世のなかにはわかるということと、よくはわからないけど、なんだかすごいというのがありますね。

むかし友人が言っていました。大学に入って、先生、研究者の実力をはかるときにね、「言っていることは辻褄が合って、すごく首尾一貫して、わかりやすいんだけど、なんか嘘くさい話をする先生」と「言ってることはさっぱりわからないんだけれども、なんかすごいといったタイプの先生」がいたら絶対に後者につけって。

そこには、さっぱりわからないけれど、じぶんがものすごく必要としているなにかがあるとの直感が働いているわけね。この直感みたいなものを蝶番にして、そのわからないものがじぶんにとって最重要なものに引っくり返ってしまうということがありうる。

小説でもそうだし、絵でも音楽でも。見たとき、聴いたときに、この絵のどこが優れているのか、この音楽は他の音楽と比べてどこがよいのかじぶんには知識がなくて全然わからんけれども、とにかくすごい！　と感じるときってあるじゃないですか。

あるいは人間でもそうですね。なんかじぶんの理解を超えていて、世間からは浮いてしまっていたり、あるいは変人だと言われていたりするかもしれない。要するに、じぶんの理解の範囲を超えているひとだけど、パッと見たときに、「すごい！」と感じるときがたしかにある。じぶんのその「すごい！」をむしろ大切にしたほうが、ぼくはいいと思うし、それがなかったらそのひとと話をするなり、本を読むなりするのはやめたほうがいい（笑）。直感はね、意外と正しいんですよ。

生徒F　「すごい！」という感覚をもつことが大事だと……。

鷲田　もったらそれを大事にする……。もてないことも多いけどね。

直感はね、意外と正しいんですよ

生徒F　ありがとうございました。

答えはすぐに出さなくてもいい

生徒G　ぼくは、「名前のない学校」のひとたちが、だんだん心をひらいていったプロセスに興味をもちました。

鷲田　いや、心をひらいたのかどうかは、ぼくにはわからない。ただ、だんだん変わっていった。うまくしゃべれない、けれどいっしょにいられるみたいなね。彼/彼女らにとって、うーん、なんて言ったらいいのかな、「場所」のようなものが学校では見つけられなかったけど、この塾だったらしんどくないっていうような感じでしょうか。そういう意味で、それがほんとにその子の世界をひらいたかどうか、ぼくには確信がもてないんだけどね。

生徒G　いままでは心がちょっと疲れたけど、そこではあまり疲れなかった。その子たちを疲れさせなかった環境をつくったときに、鷲田先生が、これがよかったんじゃないかと思えるコンテクストを、もっと聞きたいです。

鷲田　まぁ、成功したのかどうか、正直なところ、わからないです。人間のことだからね。まぁ、インタビューをやれた。へえー、これだけ居心地の悪かった親子がね、ビデオとマイクがあるだけで、インタビューの口調になるだけで、こんなにちゃんと話ができるのかと思ってね、あれはすごかったですね。

あとは、きょう講演で挙げた例のほかに、新聞の記事、それも絶対に読まない欄の記事を持ち寄ろうというのをやった。たとえば株式のページ、あるいは海外の政治欄。それで、みんなの前で、なぜ読まないのかについて説明してもらうんですよ。そこで初めてことばが生まれる。だってそんなことはいままで一度もしたことがない。求められたこともない。あれは一人ひとりにとっておもしろい経験だったんじゃないかなと思います。

生徒G　おもしろいです。

鷲田　おもしろかったけど、全体としてはどうだったのかな……。たとえば、ひとって、高校のときのハッとしたことが三十年後に、あ、あれそういうことやったんかとわかることがある。たった二年間の塾のことがどういう意味をもってい

答えはすぐに出さなくてもいい

たかって、じぶんたちには断じがたいところがありますね。

じつは最初にスカウトした子は、やっぱりまた学校には行かなくなった。けれど、ガンバ大阪の応援でずっとチームについてまわっているみたいで、しかもそれから一年たって大学に入ったって聞きました。びっくりしました。ぼそぼそしかしゃべってくれないのに、おどろくほどの行動力がある。そこがおもしろい。その子は塾をいちども休まなかった。でも、いつも不機嫌そうな顔してたなあ……。

さきほどの話ですが、「すごい」の中身がわからないままに出会って、それが意味のない出会いだったのか、やっぱり「すごい」出会いだったのかどうかも、場合によっては何十年か先まで気づかないってこともある。まぁ、人間って、蛇行して、ジグザグに進んでいくから、答えはすぐに出さなくてもいいんじゃないかなと思いますね。ともあれ、みなさん健康に。

生徒一同　ありがとうございました。

あとがき

*

ことばがこのところ、なにかひどくアンバランスになっている、間をつなぐことができないくらいに二極化しているように思われてなりません。

一方では、異様なほどにとげとげしく、あるいは毒々しくなり、もう一方では、ひやひやするほどにか細く、途切れそうになっている。

一方では、まるで痰を飛ばすかのようにことばを吐き捨てたり、誹謗や中傷という、みずから責任をとることのない匿名のことばが礫（つぶて）のように行き交ったり。もう一方では、ことばへの恐怖、あるいはそれへの不信や断念からことばを見失ったり、なにか話しかけても口をきつく閉ざしたままだったり。

いずれもことばとの距離のとり方にいびつなところがあります。ことばって含みがあったり、曲折があったり、きめや奥行きがあったりと、ほんらいはなんとも含蓄に富むはずのものなのに、それがイエスかノーか、オール・オア・ナッシングといったすごく極端（「極単」と書いたほうがいいかもしれません）なかたちでしか出てきません。

そういうことばの荒れと枯れからもういちど恢復する途をていねいにたどっておきたいという思いで、わたしは昨年の十月、愛知県一宮市の市民会館で県立一宮高等学校の生徒さんたちに向けてこのお話をさせていただきました。

当日、講演会だけでなく二次会までおつきあいくださったそのみなさん、この「文化講演会」の企画と運営をしてくださった同校の先生方、そしてこの貴重な機会に同伴くださるだけでなく、録音の起こしから編集・造本まですべて引き受けてくださった講談社文芸第一出版部の横山建城さんとそのスタッフのみなさまに、こころより感謝申し上げます。

鷲田清一

二〇二一年秋

本書は、二〇二〇年十月十五日に
愛知県立一宮高等学校の生徒と関係者に向けて、
一宮市民会館にておこなわれた
文化講演会の内容を元に再構成しました。

愛知県立一宮高等学校

愛知県一宮市北園通六—九

大正八年開校の愛知県立第六中学校(後の愛知県立一宮中学校)と大正四年開校の一宮町立高等女学校(後の一宮高等女学校)が昭和二十三年に統合し、愛知県立一宮高等学校となる。平成三十年には創立百周年を迎えた伝統校。

全日制と定時制を併設し、全日制には普通科とファッション創造科を設置。令和三年四月一日現在の生徒数は、全日制と定時制合わせて千百九十四名。平成十五年からスーパーサイエンスハイスクールの指定を受けており、独自の教育プログラムによる理数系教育を展開し、未来を担う科学技術系人材の育成に努めている。「質実剛健」を校訓として文武両道の精神の下、国際交流も盛んにおこない、グローバル・リーダー輩出にも資している。

著者：鷲田清一（わしだ・きよかず）
1949年京都生まれ、哲学者。京都大学大学院文学研究科博士課程単位取得。大阪大学文学部教授などを経て、大阪大学総長（2007〜2011）。2015〜2019年、京都市立芸術大学理事長・学長。現在、せんだいメディアテーク館長、サントリー文化財団副理事長。医療や介護、教育の現場などに哲学の思考をつなぐ臨床哲学を提唱・探求する。朝日新聞一面に「折々のことば」を連載。『モードの迷宮』（ちくま学芸文庫、サントリー学芸賞）、『じぶん・この不思議な存在』（講談社現代新書）、『「聴く」ことの力—臨床哲学試論』（ちくま学芸文庫、桑原武夫学芸賞）、『「ぐずぐず」の理由』（角川選書、読売文学賞）、『哲学の使い方』（岩波新書）、『濃霧の中の方向感覚』（晶文社）など著書多数。

だんまり、つぶやき、語らい――じぶんをひらくことば

2021年10月25日 第1刷発行

著　者　鷲田清一
発行者　鈴木章一
発行所　株式会社講談社
〒112-8001 東京都文京区音羽2-12-21
電話　出版 03-5395-3504
販売 03-5395-5817
業務 03-5395-3615
印刷所　株式会社新藤慶昌堂
製本所　株式会社国宝社

KODANSHA

ISBN978-4-06-525289-5

N.D.C.113　94p　19cm

人間であることをやめるな

半藤一利　著

国家そのものが大転換期にある。先行きは不安ばかり。
そうした「行き止まり」のときに、
日本人は、とくに若い人たちは、どう生きたらいいのか。

「歴史に学ぶ」とはどういうことか。著者がものした数多くの文章や講演から、そのエッセンスを四つのポイントに集約。明治の将星のもった国際情勢へのリアリズム、石橋湛山が説いた「理想の力」への信頼、昭和天皇の懊悩への理解、そして墨子と宮崎駿にある平和への問い。昭和史研究の第一人者が残した軽妙にみえて重い教訓のことば。

定価：一四三〇円（税込）
※定価は変更することがあります